漫話國寶

06 湖南省博物館

杜瑩◎編著　　朝畫夕食◎繪

中華教育

漫話國寶 **06** 湖南省博物館

杜瑩◎編著
朝畫夕食◎繪

出版　中華教育
　　　香港北角英皇道四九九號北角工業大廈一樓B
　　　電話：（852）2137 2338　　傳真：（852）2713 8202
　　　電子郵件：info@chunghwabook.com.hk
　　　網址：http://www.chunghwabook.com.hk

發行　香港聯合書刊物流有限公司
　　　香港新界荃灣德士古道220-248號
　　　荃灣工業中心16樓
　　　電話：（852）2150 2100　　傳真：（852）2407 3062
　　　電子郵件：info@suplogistics.com.hk

印刷　深圳市彩之欣印刷有限公司
　　　深圳市福田區八卦二路526棟4層

版次　2021年3月第1版第1次印刷
　　　©2021中華教育

規格　16開（170mm×240mm）
ISBN　978-988-8758-11-1

責任編輯　吳黎純
裝幀設計　陳淑娟
排版　陳淑娟
印務　劉漢舉

·目錄·

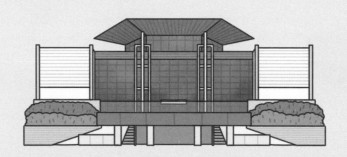

　　湖南省博物館坐落於長沙市，是湖南省最大的歷史藝術類博物館，也是首批國家一級博物館。博物館館藏的 18 萬餘件珍藏品包羅萬象：從史前人類的打製石器，到精美絕倫的青銅器皿；從馬王堆漢墓的綾羅鐘鼎，到明清文人的妙墨丹青，無一不是人類智慧的結晶與湖湘歷史的見證。

第一站

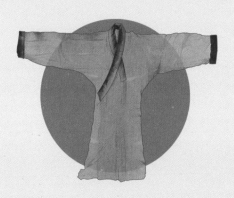

粵居 普jū   粵單 普dān

直 裾 素 紗 禪 衣

個人檔案

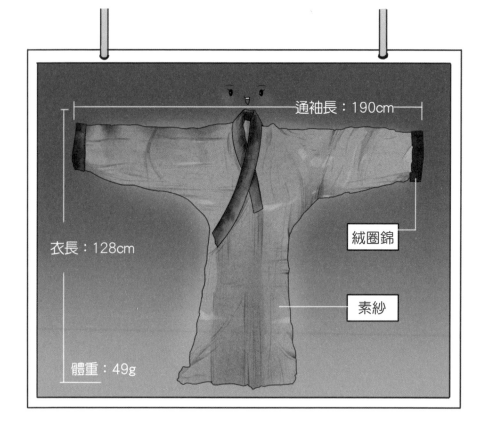

姓　　名：直裾素紗襌衣

年　　齡：2100 多歲

血　　型：絲綢

職　　業：衣物

出生日期：西漢

出　生　地：湖南省長沙市馬王堆漢墓

現居住地：湖南省博物館

通袖長：190cm

衣長：128cm

絨圈錦

素紗

體重：49g

7月13日　星期六　　　　　　　　　　　　　　晴

　　噓，告訴你們，這兒有一位「東方睡美人」，她就是大名鼎鼎的辛追夫人！我們今天要見的素紗禪衣姐姐就是辛追夫人的衣服。據說這位姐姐身姿輕盈，看着如水一般透明，如煙一般搖擺，甚至比雲彩還要輕盈呢。

素紗禪衣姐姐，您在哪裏呢？

我就在你跟前啊。

哇，姐姐您會隱身術嗎？

嘿嘿，古人常常誇我「薄如蟬翼」「輕若煙霧」呢。

我一直以為薄如翼，輕若雲，這是用了誇張的修辭手法！

很多人跟你的想法一樣，但當他們真正見識過我的蓋世神功，就明白了古人並沒有多誇張哦。

輕功出神入化

飛！

你們猜猜我的體重？

49g

4 9 克 ≈

 一隻雞蛋

 一個橘子

 一瓶膠水

羨慕！嫉妒！恨！

減肥小分隊

縮骨功天下無敵

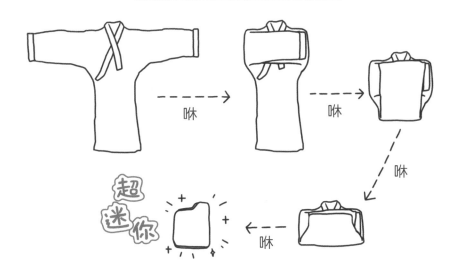

去掉袖口、領口、衣襟之後的素紗襌衣，摺疊起來甚至可以放入火柴盒中。

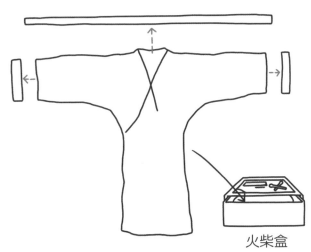

火柴盒

哇，那帶您出去旅行的話也太方便了吧！

隱身術難覓對手

咦？我的眼鏡怎麼自己飛起來了！

嘻嘻嘻！

素紗襌衣是用單經單緯絲交織而成的一種方孔平紋織物。

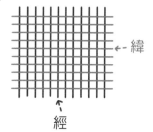

蠶絲纖度勻細見長，所以透光度極好。

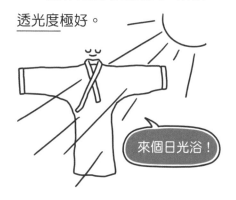

來個日光浴！

素紗襌衣的素紗指的是沒有染色的紗織物，襌衣也稱為「單衣」，是上層人士平日常常會穿的單層罩衣，算是秦漢時期的流行服飾。

素紗禪衣是西漢紡織技術巔峯時期的作品，

也是迄今所見**最早、最薄、最輕**的服裝珍品。

古今絲織技術大賽

因為驚豔於古人的絲織技術，專家們也準備仿製一件現代版的素紗禪衣。

專家們辛辛苦苦忙活了好幾個月終於做出來一件，可是一上秤，這件作品嚴重超重。

啊，終於找到原因了！

原來漢代的蠶寶寶是三眠蠶，吐出的絲比較細；如今的蠶寶寶已經進化為四眠蠶，吐出來的絲就粗多了。所以即便採用了一樣的織法，重量仍會超出許多。

你吐的絲太粗啦！

三眠蠶

四眠蠶

既然發現了問題所在，那就趕緊對症下藥吧。

專家們通過**藥物**控制蠶寶寶的生長，最終得到了現代最細的蠶絲。

小乖乖，不能吃很多雞翅哦，有可能會提前發育哦。

在經歷了一道道複雜工序之後，一件全新的素紗襌衣終於出現在人們眼前。

新 新

心服口服，甘拜下風！

驕傲

+0.5g

新做的素紗襌衣無論從款式還是製造工藝上看，都跟漢代的沒有多大的差別。但是在重量上卻還是比西漢的素紗襌衣重了 0.5 克。

素紗襌衣姐姐，看來您在服裝界真的是獨孤求敗了！

其實我還有個妹妹，跟我長得幾乎一模一樣，只是我是直裾，她是曲裾；她的體重可比我還輕。

直裾？曲裾？

↑
直裾 ?

↑
曲裾 ?

你以為是拉麵啊！

啊？

不是我！

直裾和曲裾都是**漢服**的款式。

直裾的衣襟是方直的，像這樣：

曲裾的衣襟接長，形成三角斜襟，穿的時候斜襟經過背後再繞回到前面，然後腰部用腰帶綁起來。像這樣：

變長 ┈┈▶

夏小滿，你以為我是個粽子嗎？？？

嘻嘻嘻，讓你試穿一下呀！

曲裾的出現是因為漢族服飾中最初沒有連襠的罩褲，所以下擺有了這樣幾重保護就比較**安全**，也符合**禮節**。

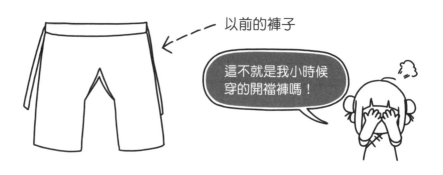

以前的褲子

這不就是我小時候穿的開襠褲嗎！

喂，你們這麼大的人還穿開襠褲害不害臊啊？

曲裾在還沒有發明褲襠的先秦至漢代比較流行。起初，男女均可穿着。男子曲裾的下擺比較寬大，以便於行走；而女子的會緊一些、窄一些，這樣也更顯身材一些。

這麼好的身材當然要顯擺起來啦！

收緊

那麼素紗禪衣又薄又輕，顯然不是為了禦寒，

那是穿在**哪裏**呢？

是罩衣！

穿在外面的！

外面！！

是內衣！

穿裏面啊！

裏面！！！

多數學者認為素紗禪衣可能是罩在錦繡華服的外面，一方面可以增添華麗感，另一方面又可以產生朦朦朧朧的美感；但也有一些學者認為素紗禪衣可能是作為內衣來穿的。

小小博士

　　辛追夫人是這件舉世無雙素紗襌衣的主人，她已經在地下沉睡了 2100 多年，屍體出土的時候，全身包裹着 20 層絲綢衣服，半身浸泡在略呈紅色的溶液裏。考古人員把衣物剝離完看到辛追夫人的屍體時，都忍不住發出由衷的讚歎。雖然經過了這麼長的時間，但辛追夫人的皮膚依然柔軟而富有彈性，眼睫毛和鼻毛都在，左耳裏鼓膜完好，手指及腳趾紋路清晰，她的關節甚至還可以活動，並且內臟器官也是完整的。根據專家解剖的結論，估計辛追夫人是在 50 歲左右過世的，很可能是膽絞痛引起冠心病發作導致的猝死。

三十歲的辛追夫人

我年輕的時候，可是很漂亮的！

是是是，您最好看了

哈哈劇場

之

「聚會」

文物日誌

□／□ 星期 ＿＿＿ ☀ ☁ 🌧 ❄

第二站

粤白 普bó

個人檔案

姓　　名：T型帛畫

年　　齡：2100多歲

血　　型：絹帛型

職　　業：招魂幡

出生日期：西漢

出生地：湖南省長沙市馬王堆漢墓

現居住地：湖南省博物館

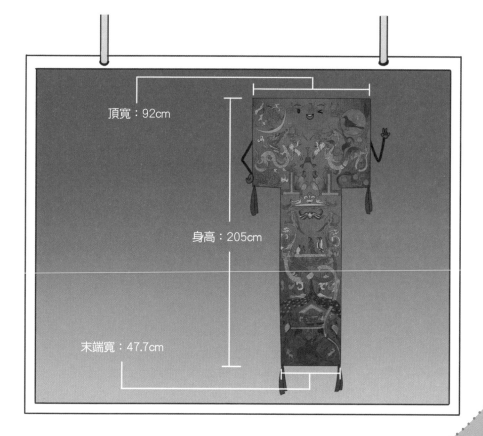

頂寬：92cm

身高：205cm

末端寬：47.7cm

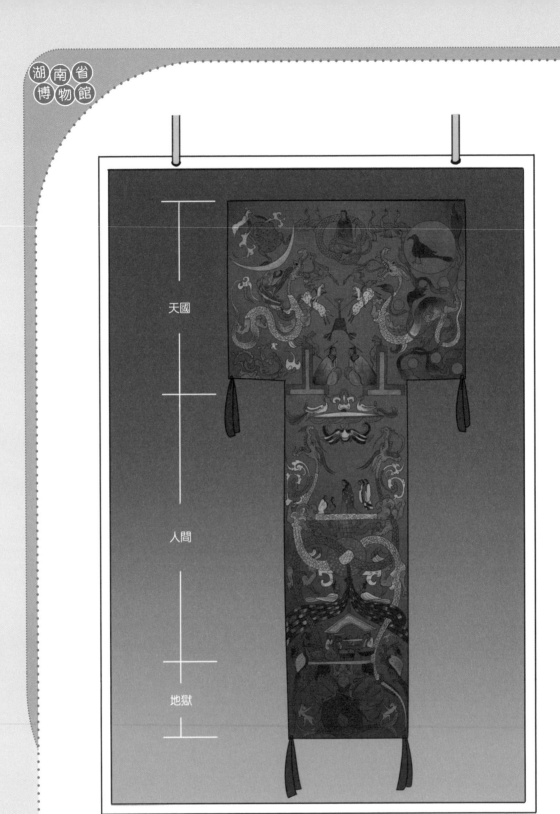

天國

人間

地獄

聽素紗禪衣姐姐說，博物館裏還有位超級漂亮的 T 型帛畫姐姐，雖然她都 2000 多歲了，可是依舊鮮豔如初，畫面上的人物也都栩栩如生。不過，我對她的名字更好奇，怎麼名字裏面會有個英文字母「T」呢？

帛畫姐姐，您跟素紗禪衣姐姐一樣，也是一件衣服嗎？

不是哦，我可不是衣服，我是一幅**畫**。

這只是個美麗的誤會。

可是這裏看起來好像兩個袖子。

正是因為我獨特的造型像英文字母——T，所以大家才叫我「T型帛畫」。

別說，是挺像的！

似畫非畫

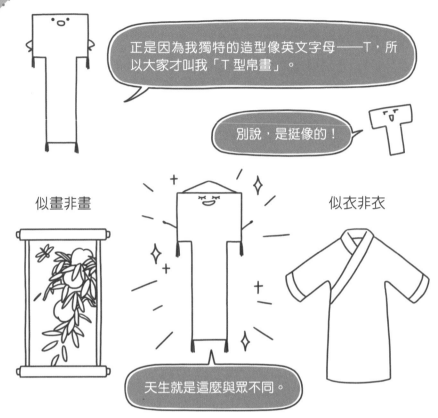

似衣非衣

天生就是這麼與眾不同。

帛畫是用單層細絹拼接縫製而成的：先將三塊**單獨**的絹帛拼接，中間用一長條整幅的絹，再取相當於長條三分之一的絹裁成兩半，分別拼縫在長條上部的兩側。所以上寬下窄，看着就像一個大大的「T」。

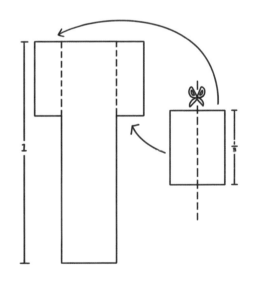

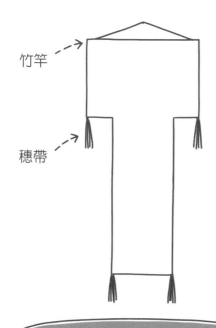

竹竿

穗帶

帛畫的頂部裏有一根**竹竿**，並繫着棕色的絲帶，這是為了方便舉起來懸掛。中部和下部的兩個下角，還綴着青色細麻線織成的**穗帶**。

帛畫姐姐，您身上有好多奇奇怪怪的動物和人物。

我在《動物大百科》裏好像都沒見過。

百科書

帛畫姐姐，您能跟我們講講嗎？

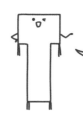

那就讓我慢慢說給你們聽吧。

T 型帛畫分成上中下三個部分，最上面這塊
講的是天國，中間這塊講的是人間，最下面這塊則是講的地獄。

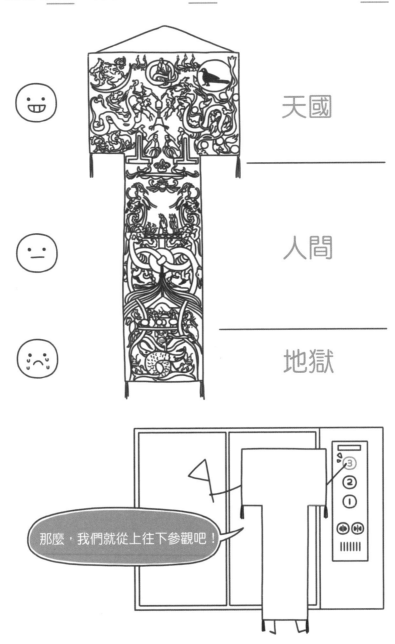

天國

人間

地獄

那麼，我們就從上往下參觀吧！

歡迎大家來到第三層——**天國**。

帛畫右上角
這個紅色大圓是
太陽。

這隻站在太陽肚子裏的黑色大鳥是烏鴉嗎？

對，這就是「金烏」。金烏可是古人眼中太陽的精靈，是中國古代神話傳說中的神鳥。

我們烏鴉其實是很高貴的。

「金烏」下面畫了 **8** 個小太陽，若隱若現，它們正在藍色的扶桑樹枝上休息呢。

扶桑樹也是傳說中的 **神樹**，它生長在東海，高數千丈。平日裏，沒有輪到值班的太陽就可以舒舒服服地在扶桑樹枝間休息。

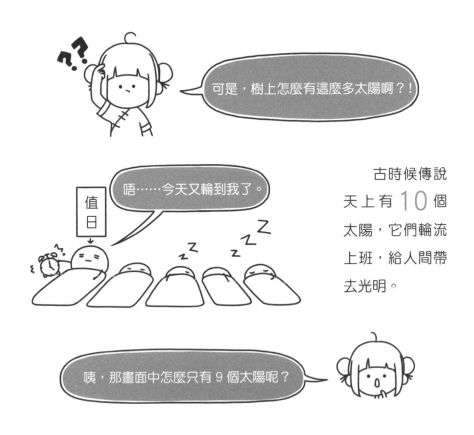

古時候傳說天上有 **10** 個太陽，它們輪流上班，給人間帶去光明。

另外一個應該正在工作，忙着在人間普照大地呢。而天國中那隻又大又圓的太陽正等待着交班時間的到來呢。

和右上角太陽對應的是左上角的**月亮**。

月亮下面有一名女子凌空飛舞，雙手攀住月牙。這就是神話裏的

「嫦娥奔月」

了。嫦娥偷了王母娘娘的不老丹藥，就騰空而起向月宮飛去。

啊呀呀呀呀，我有恐高症啊！

啊！

鐮刀似的新月掛在空中，上面還有一隻**蟾蜍**和一隻**玉兔**。蟾蜍體形碩大，嘴巴裏還含着一棵可以除百病的靈芝仙草。玉兔在蟾蜍的上面，長得就嬌小多了。

大胖子！

小瘦子！

胖瘦搭配，幹活不累！

蟾蜍和玉兔不是應該住在月宮裏面嗎？

你們離家出走了啊？

拜託有些藝術想像力好嗎？這麼細的新月，你認為擠得下我們兩個嗎？

你們還記得在南京博物院見過的蟾蜍王子嗎？我說過蟾蜍在古代是很有地位的，這下相信了吧！

鎏金鑲嵌獸形銅盒硯

不得不說這張圖有醜化我的嫌疑。

女媧

在日月的中間，還畫了一個**人首蛇身**的神仙。神仙披散着長長的頭髮，紅色的長尾環繞在身邊。有學者認為這位神仙就是<u>女媧</u>，是主宰天的天帝。

也有學者認為這位神仙就是傳說中的燭龍神。傳說燭龍神鎮守着天門，他睜開眼就是白天，閉上眼就是黑夜。

人首蛇身的仙人下面畫了兩位獸面人身、騎着神獸飛奔的神，他們用繩子拉着一個好像大鐘的東西——鐸（粵 踱 普 duó），目的是使之震響，這是歡迎靈魂升天的最高儀式。

木鐸下面繪有雙闕（粵 決 普 què），形成一個倒形的天門。闕上各有一隻小豹子，闕內有兩人拱手相坐，他們可能就是把守天門的神仙，正在迎接升天的靈魂呢。

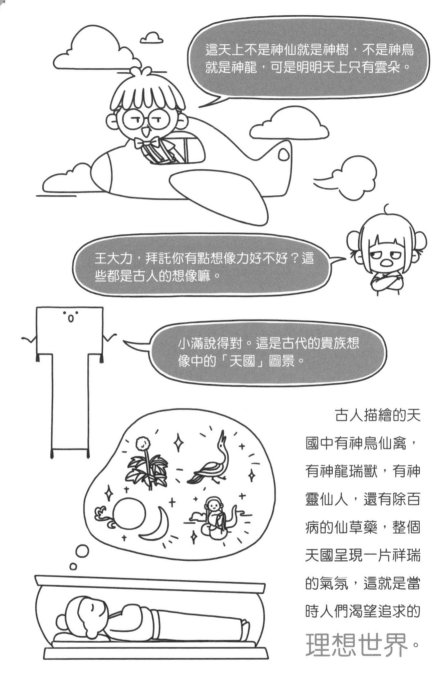

這天上不是神仙就是神樹，不是神鳥就是神龍，可是明明天上只有雲朵。

王大力，拜託你有點想像力好不好？這些都是古人的想像嘛。

小滿說得對。這是古代的貴族想像中的「天國」圖景。

古人描繪的天國中有神鳥仙禽，有神龍瑞獸，有神靈仙人，還有除百病的仙草藥，整個天國呈現一片祥瑞的氣氛，這就是當時人們渴望追求的**理想世界。**

他們夢想着死後可以升天，繼續享受榮華富貴。

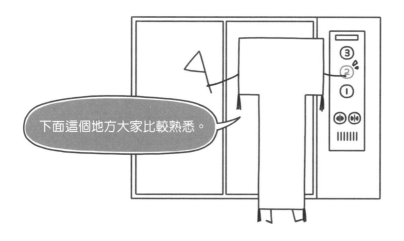

下面這個地方大家比較熟悉。

歡迎大家來到第二層——人間。

咦，這裏怎麼有一位拄着拐杖的老奶奶啊？

這位就是辛追老夫人了。人間這部分描繪了辛追老夫人去往天國前大家送行的場景。

最近的曝光率有點高啊。

辛追

辛追老夫人不就是素紗襌衣姐姐的主人嗎？

廣告時間

對！說的就是我！

又輕又薄，
又軟又透，
獨一無二，
中國驕傲！

沒錯，辛追老夫人是我們共同的主人。

人間又分為上、下兩個部分，由兩條尾巴交纏在玉璧之中的長龍作為分界線。

分界

來了，帛畫姐姐！

跟緊隊伍，先看人間的上部分。

人間的上部分描繪的是辛追老夫人的**升天圖**。
以華蓋作為屋頂，下面有一隻怪鳥。

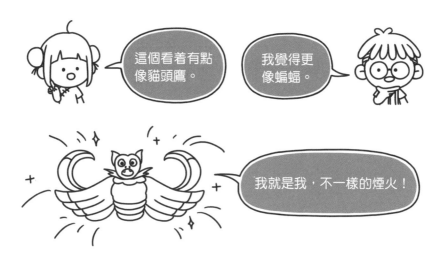

這個看着有點像貓頭鷹。

我覺得更像蝙蝠。

我就是我，不一樣的煙火！

這個叫「**飛廉**」，
是神話傳說中的神獸。

飛廉有**重生**和**來世**的意思，在這裏出現的用意有可能表示引領辛追老夫人靈魂升天。

我們神獸的長相是會突破你們的想像的。

不得不說，你很有自知之明！

天堂號包廂

老夫人，您這邊請！

飛廉下面就是辛追老夫人拄着拐杖的出行圖。

老夫人身着華服，戴着精美的髮飾，正慢慢地往西走。左側有兩個男子跪在地上，舉着托盤遞送食物；右側有三個貼身奴婢跟在老夫人身後拱手相隨，顯得氣派十足。

排場一定要夠大！

導遊互動問答時間！

1

為甚麼要向西行呢？

因為古人認為仙境是在西方，辛追老夫人正去往西方的極樂世界。

怪不得唐僧師徒取經是去西天的啊。

2

這些女子的服飾有甚麼共同點嗎？

她們都穿了漢代的流行服飾——曲裾！

全部答對！

玉璧長龍下面，是人間的下部分，
描繪的是兒孫的祭祀圖。

這些穿着長袍的男人可能是辛追老夫人的兒孫。你看他們臉色青藍，神情肅穆，盡顯哀傷悲痛。前面放着幾個鼎和壺，後面的食案上擺滿了耳杯等各種食器，這些應該都是祭祀用品。

> 我的兒孫都是孝順的好孩子！

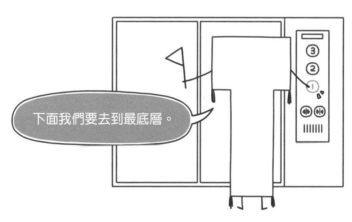

> 下面我們要去到最底層。

歡迎大家來到第一層——地獄。

哇，這裏有個光溜溜的大巨人。

你肌肉好發達啊！要是你去參加奧運會舉重比賽，一定殺得他們片甲不留。

不要動手動腳，影響我工作！

這是地神一鯀（粵 滾 普 Gǔn），他正托着白色的蒼茫大地。

老大，為甚麼我們全年無休？我抗議！

老大，我們能放個假，出去轉個圈嗎？

地神胯下有一條紅色的大蛇，腳下踩踏着兩條巨大交叉的青色大魚。這應該就是鯨鰲（粵 熬 普 áo）。鯨鰲托着巨人漂浮在茫茫無邊的大海上。

想得美，給我老實待着，再吵把你們剁了紅燒！

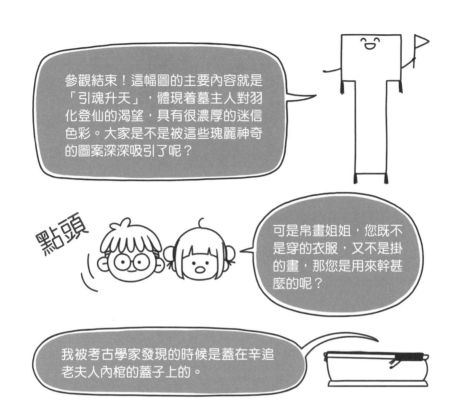

參觀結束！這幅圖的主要內容就是「引魂升天」，體現着墓主人對羽化登仙的渴望，具有很濃厚的迷信色彩。大家是不是被這些瑰麗神奇的圖案深深吸引了呢？

點頭

可是帛畫姐姐，您既不是穿的衣服，又不是掛的畫，那您是用來幹甚麼的呢？

我被考古學家發現的時候是蓋在辛追老夫人內棺的蓋子上的。

根據漢代初期人們的喪葬習俗，T 型帛畫為舉行喪禮時為了招復魂魄而準備的招魂幡（粵 翻 普 fān），幡上繪有墓主人形象。出殯的時候，招魂幡舉在靈柩（粵 舊 普 jiù）之前，一路引導到墓地。入葬時，將招魂幡放在棺上，一起下葬。古人認為這樣死者的魂才能得以升天，魄才能入土為安。

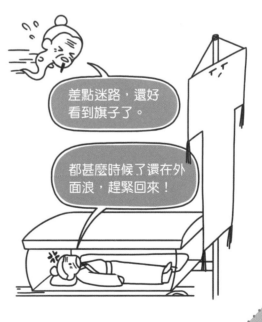

差點迷路，還好看到旗子了。

都甚麼時候了還在外面浪，趕緊回來！

小小博士

　　1972 年 4 月 25 日晚上，發掘人員在第四層內棺蓋上，發現了 T 型帛畫。但是，帛畫已經沒有韌性，既不能捲起，又不能摺疊。這樣大幅的帛畫，怎樣才能確保不損壞畫面，完整地揭取下來呢？

　　專家們經過深思熟慮，首先專門製作、加工了揭取工具——小竹片，接着在微弱的燈光下，用光滑的小竹片小心翼翼地將帛畫下端的兩個角慢慢地挑起，待帛畫下端揭離並掀起一小段，等候在旁邊的兩名助手把捲好宣紙的一個圓筒輕輕地橫放到下面。隨着帛畫的掀起，圓筒捲着帛畫一小段一小段向前滾動。待全部捲完，專家們再將捲好的帛畫鋪在墊有宣紙的三合板上，並在帛畫上又另鋪幾層宣紙，宣紙上再蓋一塊三合板，捆綁固定，專人專車運到湖南省博物館。我們如今能在博物館裏見到 T 型帛畫的廬山真面目，真要感謝當年考古專家的辛勤工作。

哈哈劇場

之

「聯誼會」

文物日誌

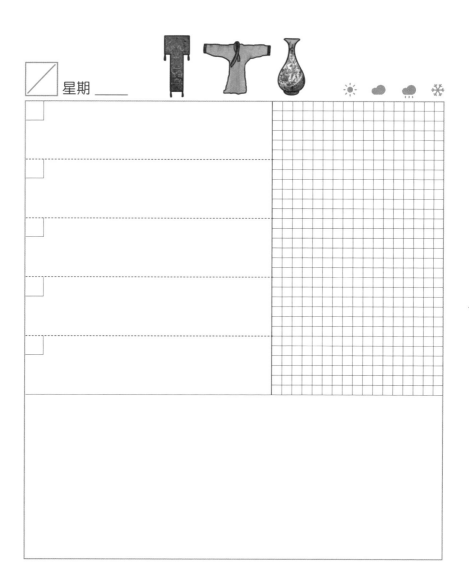

星期 ＿＿＿

第三站

朱地彩繪棺

★ 個人檔案 ★

姓　　名：朱地彩繪棺

年　　齡：2100 多歲

血　　型：木型

職　　業：棺材

出生日期：西漢

出 生 地：湖南省長沙市馬王堆漢墓

現居住地：湖南省博物館

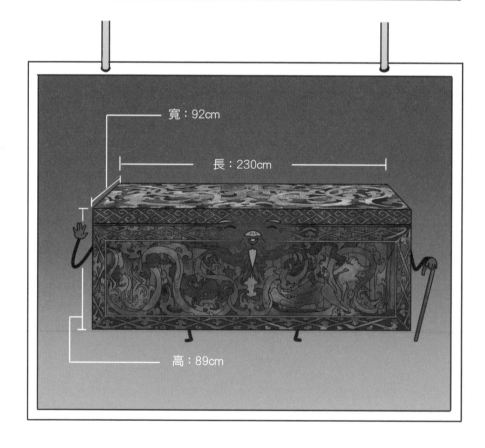

寬：92cm

長：230cm

高：89cm

頭檔

足檔

蓋板

右側面

左側面

7月23日 星期二

　　辛追老夫人在地下長眠是睡在專門為她建造的「房子」裏，人過世之後住的「房子」就叫棺材。辛追老夫人的棺材很特別，不但刷了朱紅色的漆，還繪有各種神祕的圖案。這位朱紅色的棺大爺就是我們今天要拜訪的主角啦。

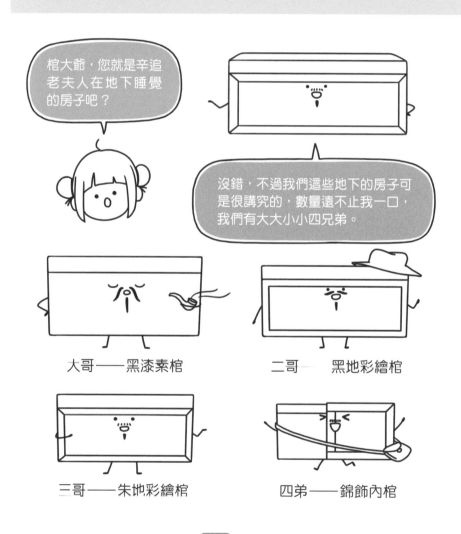

棺大爺，您就是辛追老夫人在地下睡覺的房子吧？

沒錯，不過我們這些地下的房子可是很講究的，數量遠不止我一口，我們有大大小小四兄弟。

大哥——黑漆素棺

二哥——黑地彩繪棺

三哥——朱地彩繪棺

四弟——錦飾內棺

他們一個**疊套**着一個。

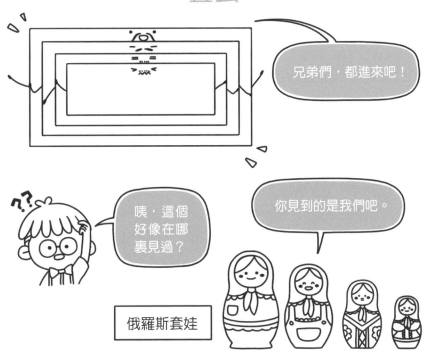

> 兄弟們，都進來吧！

> 咦，這個好像在哪裏見過？

> 你見到的是我們吧。

俄羅斯套娃

辛追老夫人就躺在第四層的錦飾內棺裏面。錦飾內棺上面蓋着的就是我們前面講到的 T 型帛畫。它們 2100 多年來一起守護着老夫人。

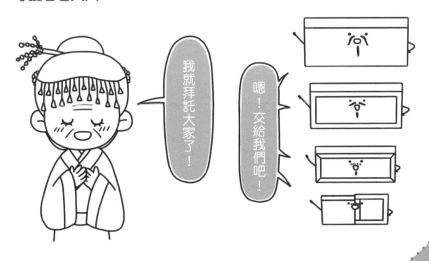

> 我就拜託大家了！

> 嗯！交給我們吧！

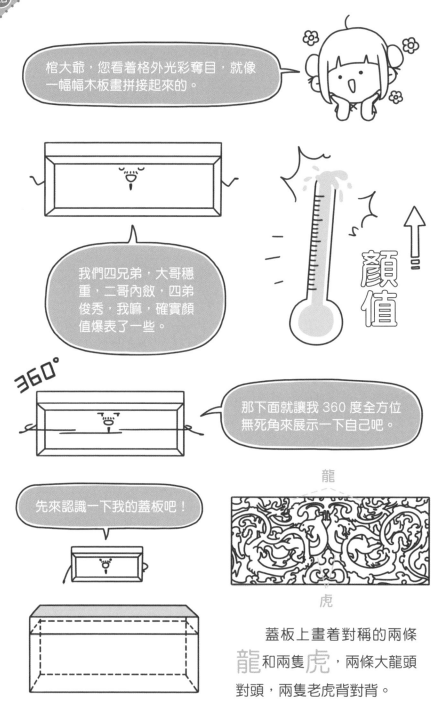

棺大爺，您看着格外光彩奪目，就像一幅幅木板畫拼接起來的。

我們四兄弟，大哥穩重，二哥內斂，四弟俊秀，我嘛，確實顏值爆表了一些。

顏值

360°

那下面就讓我 360 度全方位無死角來展示一下自己吧。

先來認識一下我的蓋板吧！

龍

虎

蓋板上畫着對稱的兩條**龍**和兩隻**虎**，兩條大龍頭對頭，兩隻老虎背對背。

你們看，那兩隻老虎攀在龍身上，正張大嘴巴準備狠狠咬下去呢！

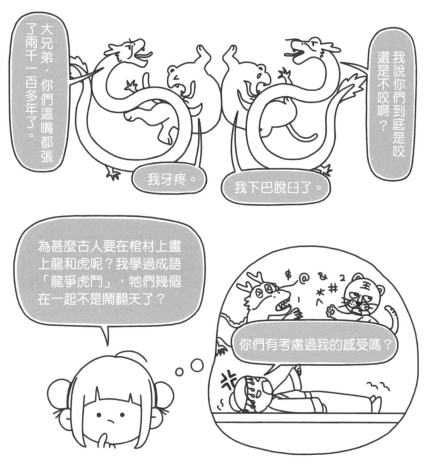

古人觀念中的龍是可以呼風喚雨、上天入地，是溝通鬼神的神靈，也是乘雲上天所必備的交通工具。

古人認為虎是能導引魂魄上天的 **瑞獸**，還有着闢邪去凶的神力。

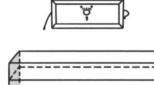

鹿

仙山

畫面的正中繪有一座高山，山的兩側各有一頭白鹿，牠們昂首跳起，神采奕奕。在神話故事中，白鹿可是仙獸，是神仙的專屬坐騎。

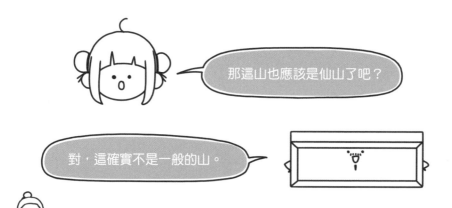

神話中仙山不是指崑崙山就是東海的蓬萊三山。但是你們看此山邊上並沒有畫水，所以這山應該是崑崙山。

崑崙是神話中離天 **最近** 的地方，天上的神靈跨過天門，步出天界便到了崑崙山。險峻入雲的高山有通天的作用，人們可以通過高山升入天界。

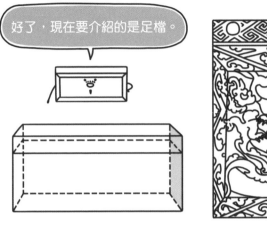

好了，現在要介紹的是足檔。

龍

玉璧

這裏畫了一幅**雙龍穿璧**的圖像。白色的玉璧在畫面的正中，兩條彎曲着身子的龍從玉璧中穿過，大眼睛尖牙齒，威風凜凜。

小滿，這個圖案好像在哪裏見過啊。

想起來了，在T型帛畫姐姐身上見過！

小滿，你好棒哦，人間那部分裏的確有類似的神龍穿璧紋樣。

當然啦！我看書可是很認真的。

雙股線輕鬆穿過。

洋洋自得

一小時後

啊啊啊啊！怎麼這麼難！

針屁股那麼小，還好意思跟小孩子比？

玉璧是漢代重要的**禮器**，用途非常廣泛，主要用於祭祀、婚禮和聘禮。玉璧象徵着天，以神龍穿過玉璧，意味着借助神龍的力量使人的靈魂升天。

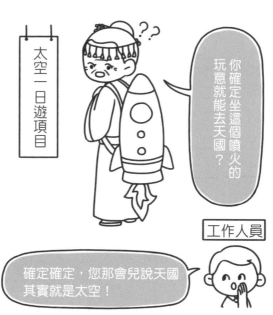

太空一日遊項目

你確定坐這個噴火的玩意就能去天國？

工作人員

確定確定，您那會兒說天國其實就是太空！

咦，右邊這個攀爬在龍身上的好像是一個人。

這隻大鳥就是**朱雀**，正準備展翅飛翔。這個攀爬在龍身上的頭髮斑白的仙人就是「羽人」了。漢代人認為，凡人要想升仙，必須經過羽化的階段，長出羽毛和翅膀。

哇！我長出小翅膀了，我馬上要變成神仙啦！

龍、虎、朱雀和鹿，都是中國古代表示吉祥的「瑞獸」，被列入「四神」或「四靈」。

我說你們也混得太差了吧！

我堂堂四靈之一，現在淪落到在動物園裏面陪你們玩。

我倒是挺喜歡小孩子。

我也挺喜歡。

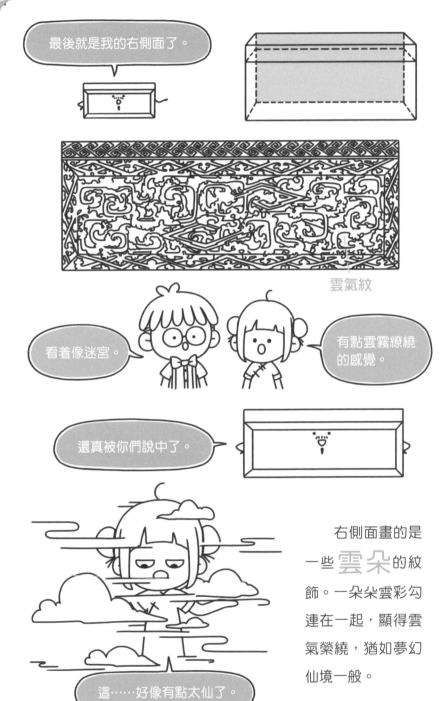

最後就是我的右側面了。

雲氣紋

看着像迷宮。

有點雲霧繚繞的感覺。

還真被你們說中了。

右側面畫的是一些**雲朵**的紋飾。一朵朵雲彩勾連在一起，顯得雲氣縈繞，猶如夢幻仙境一般。

這……好像有點太仙了。

朱地彩繪棺上所描繪的**動物紋**和**雲氣紋**是漢代漆器的主要紋飾之一。

動物紋

雲氣紋

其實從這些紋飾裏我們也能發現**求仙問道**在漢代有多盛行。大家都渴求能長生不老、升天成仙。

最新款仙丹，一顆活到666，兩顆直逼999。

小滿健身館

開業酬賓

你們要相信科學養生啊！

這是騙子，騙子！

小小博士

在朱地彩繪棺外層疊套的就是黑地彩繪棺了。這件在地下埋藏了兩千一百多年的漆器藝術品同朱地彩繪棺一樣，依然閃爍着令人目眩神迷的光芒。

黑地彩繪棺以黑漆為底色，用朱、白、黑、黃、綠等顏色描繪出一朵朵如夢如幻的雲彩，雲氣不斷流動變化，起伏縈迴（粵 形回 普 yíng huí）。在翻騰的雲氣間有一百多個形態各異的動物和神怪穿插其間，他們隨着流雲翩翩起舞，千姿百態，各具神情。

辛追夫人由我來守護！

哈哈劇場

之

「超載」

文物日誌

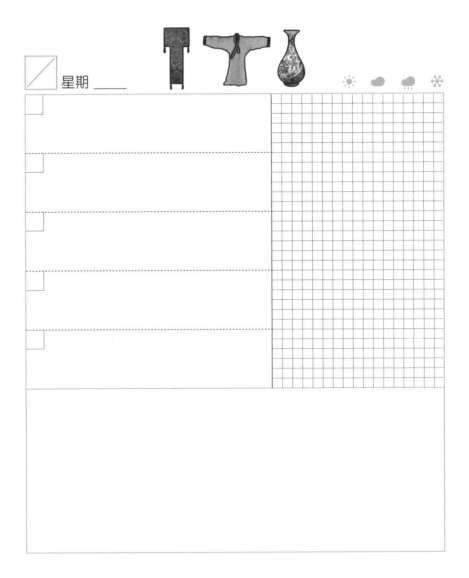

星期 ____

第四站

大 禾

人 面 紋 方 鼎

個人檔案

姓　　名：	大禾人面紋方鼎
年　　齡：	3000 多歲
血　　型：	青銅型
職　　業：	禮器
出生日期：	商代晚期
出 生 地：	湖南省寧鄉市黃材鎮
現居住地：	湖南省博物館

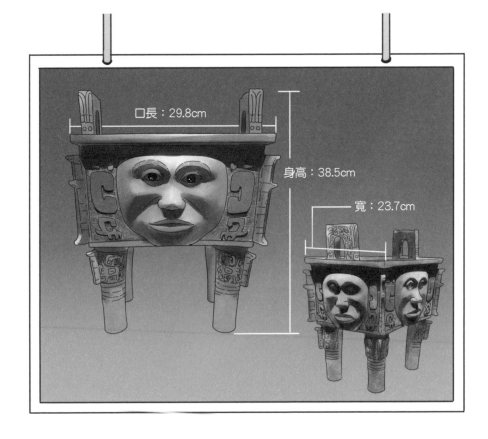

口長：29.8cm

身高：38.5cm

寬：23.7cm

　　「四臉超人」見過嗎？我猜你們一定沒見過。更神奇的是這個「四臉超人」還是長在一個長方形的青銅鼎上。為甚麼古人要做一個這樣的青銅鼎呢？這個世界上真的有這樣的人存在過嗎？他是男人還是女人呢？我的小腦袋裏都是各種問號呢。

這個碧綠方鼎，大名叫作——

大禾人面紋方鼎。

人面紋

方鼎的器身外表四周裝飾着四個一模一樣的 <u>半浮雕</u> 人面。

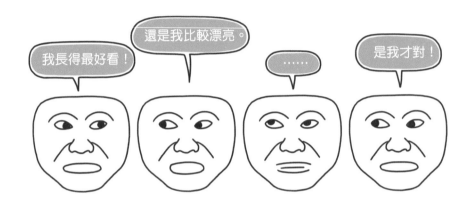

我長得最好看！

還是我比較漂亮。

⋯⋯

是我才對！

等一下，你們四個明明長得都一樣好嗎！

大禾

方鼎的肚子 **內壁** 上還鑄着銘文「大禾」兩個字。

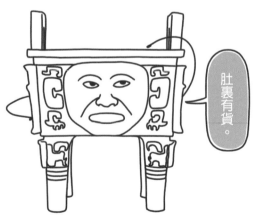

肚裏有貨。

內在美才是真的美！

好久不見了！我身上的就是獸面紋裏的饕餮（粵 滔鐵 普 tāo tiè）紋。

杜嶺方鼎

商周的青銅器常常是以**獸面紋**作為主題紋飾。大家還記得我們在河南博物院見到的杜嶺方鼎大叔嗎？

人面紋飾在商周的青銅器裏是非常稀有、非常珍貴的，大禾人面紋方鼎以四個相同的人面紋裝飾器體的主要部位，就顯得更加奇特，是中國目前發現的**唯一**一件以人面紋為飾的鼎。

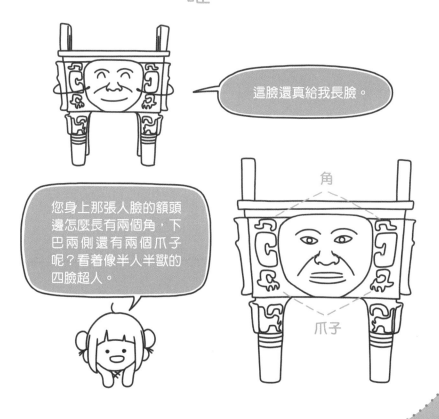

這臉還真給我長臉。

您身上那張人臉的額頭邊怎麼長有兩個角，下巴兩側還有兩個爪子呢？看着像半人半獸的四臉超人。

角

爪子

在人類自身力量還很弱小的時候，他們是很羨慕動物的各項技能的，因此中國古代傳說中的英雄、祖先大多都會在人的形象之外加上神的力量與動物的器官。

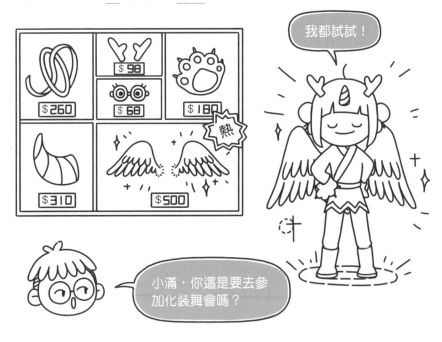

所以**半人半獸**其實是表現了古人崇敬祖先的情結。

有一本奇書叫作 《山海經》，

這本書裏就為後人留下了大量
有關這些亦人亦神亦獸的祖先或者英雄形象的描述。

用黃泥造人，用五彩
石補天的女媧娘娘就是長
着人首蛇身。

燭龍可是特別厲害的神仙，
他長着人的臉和蛇的身子，全身
赤紅，身子有一千里那麼長。他
住在鍾山腳下，不吃不喝不睡覺，
他睜開眼睛就是白天，閉上眼睛
就是晚上；他吸氣世界就變成了
夏天，呼氣世界就變成了冬天，
噴吐出的氣息能化作風。

不覺得我的曲線特別美嗎？

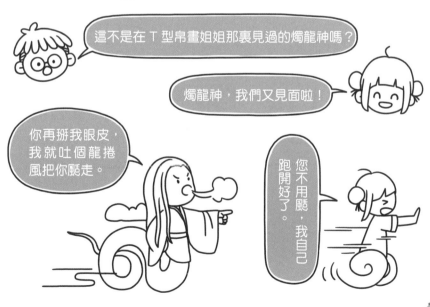

這不是在丁型帛畫姐姐那裏見過的燭龍神嗎？

燭龍神，我們又見面啦！

你再掰我眼皮，我就吐個龍捲風把你颳走。

您不用颳，我自己跑開好了。

東王公身高有一丈，滿頭白髮。他有着人的身體，卻長着一張鳥的臉和一條老虎的尾巴，他的坐騎是一隻很兇猛的大黑熊。

大熊，我們去天上玩玩。

白頭髮爺爺，看在我們長得這麼像的份上，也帶上我一起玩吧。

西王母長着老虎的牙齒和豹子的尾巴。她披散着頭髮，時不時還要大聲吼叫一下。

為甚麼還不去做作業！

這下我終於知道了。

知道甚麼？

為甚麼要把兇巴巴的女人叫作母老虎！

雷神長着龍的身子、人的腦袋，他只要拍打一下自己的腹部，就會發出打雷聲。

中國雷神

洋人雷神

這位是本土雷神，這位是進口的雷神。

半人半獸的神仙果然都超級厲害啊！

齊天大聖

天蓬元帥

再如，《西遊記》裏面的齊天大聖孫悟空、天蓬元帥豬八戒，他們可都是半人半獸、超級厲害的神仙。

智慧

＋

力量

神話傳說中的半人半獸形象都特別生動，獸的那部分——主要是形體像獸，有獸的特殊技能或力量；人的那部分——主要是智慧像人，像人一樣有顆超強大腦。

您身上的這個半人半獸到底是誰呀？真的有如此長相的人嗎？

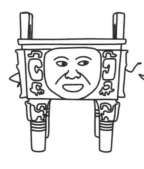

大家有過很多的猜測，有人說是祝融，有人說是蚩（粵 雌 普 chī）尤，還有人說是黃帝……

祝融

蚩尤

黃帝

專家們認為最原始的半人半獸的身份有幾種可能：

1

某種族羣傳說中的祖先；

2

某個部族的英雄，這位英雄是真實存在的，他可能帶領大家打退敵人、開墾荒地、安居樂業……為部落的發展做出了重大貢獻；

3

古人想像出一個英雄形象，這個英雄身上寄託了部落或者族羣的某種精神，比如勇敢、堅毅、奉獻等。

大禾人面紋方鼎表現的半人半獸應該就是上述幾種裏的一種。

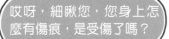

哎呀,細瞅您,您身上怎麼有傷痕,是受傷了嗎?

唉,這個說來話長。

　　在 1958 年至 1959 年的一天,湖南寧鄉市黃材鎮炭河里鄉勝溪村的一位農民揮舞着鑺(粵決 普 jué)頭,熱火朝天地在田裏幹着活。突然,他的鑺頭好像撞到了一塊堅硬的東西,怎麼使勁也挖不下去。

哇,我可憐的鑺頭!

　　他以為是塊大石頭,可刨了半天土,石頭沒見着,卻挖出了一件鏽跡斑斑的**青銅器**。

咦,這是啥?

我要把攔路虎統統幹掉。

看着像是銅做的，應該能換幾塊錢。

大哥，你這是啥眼神呢，我可是絕世珍寶啊！

這位莊稼漢從沒見過長得這麼奇怪的東西，特別是那張凸出的人臉，看得他心慌慌的。但是，一想到把這個賣給廢品收購站可以換幾塊錢，他還是很高興。

可是，青銅器這麼**重**，山路又不好走，為了方便搬運，他就揮起鑵頭，把好好的青銅器給砸成了好幾塊。

大哥，你的腦子是被驢踢了嗎？！

過了幾天，這位農民將這件被砸成好幾塊的青銅器，連同他們家的一堆廢鐵，全部賣給了鎮上的廢品收購站。

我原來是鐵鍋。

我原來是裝餅乾的鐵皮罐。

我是個鐵皮玩具。你呢？

我……說多了都是淚啊！

這件被砸爛的方鼎就這樣被當作廢舊金屬製品集中到了廢銅倉庫，差一點就扔進了熔爐。幸運的是，方鼎的一塊殘片被湖南省博物館派駐到廢銅倉庫揀選文物的工作人員發現了。

哎呀，真是謝天謝地啊！

工作人員跟蹤追擊，找到了 10 多塊碎片。博物館的修復師傅張欣如耐心細緻地進行修繕，可惜缺了一條腿沒有找到，只好做了個假的裝了上去。

張欣如

把假肢拿來。

假的

完美合體

幸運的是：兩年後，大禾人面紋方鼎丟失的那條腿也找到了，張師傅便將那條假腿換下，換上了「原裝腿」。如果不仔細看，是很難發現那些傷痕的。

小小博士

　　《山海經》是一部記述神仙志怪故事的古書，裏面有很多膾炙人口的神話故事，比如：夸父逐日、女媧補天、精衞填海、大禹治水，等等。《山海經》除了保存着豐富的神話傳說和寓言故事，還記錄了大量關於中國古代歷史、地理、天文、氣象、醫藥、礦物、中外交通、民俗等方面的內容。所以，《山海經》不僅是一部中國記載神話最多的奇書，也是一部包羅萬象的百科全書。

哈哈劇場 之 「點菜」

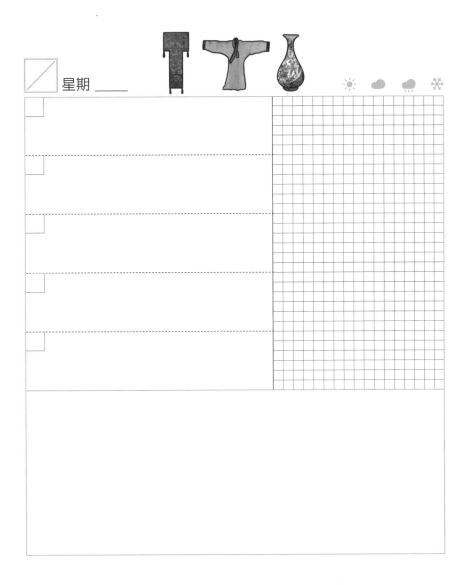

文物日誌

星期 ____

☀ ☁ ☁ ❄

第五站

青 瓷 對 書 俑

個人檔案

姓　　名：青瓷對書俑

年　　齡：1700多歲

血　　型：瓷型

職　　業：陪葬品

出生日期：西晉

出生地：湖南省長沙市金盆嶺

現居住地：湖南省博物館

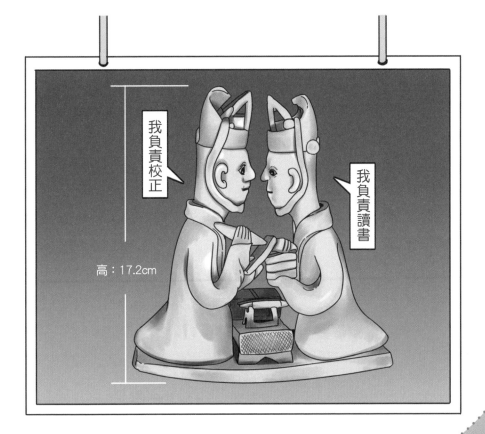

我負責校正

我負責讀書

高：17.2cm

8月5日　星期一　　　　　　　　　　　　　　晴

　　今天要去見兩位正醉心工作的小哥哥，他們不眠不休地工作1700多年了，必須要獎勵他們一個「三八紅旗手」的榮譽稱號才行。

據說，他們也是目前發現的唯一的對書俑，難道他們的工作就是「對書」？這到底是甚麼奇怪的工作呀？　　　　勞動模範

兩位哥哥，你們這大眼瞪小眼的，是在玩「我們都是木頭人」嗎？

噓，我們在工作呢！

我們正在「對書」。

「對書」是甚麼工作啊？

晉代以前的文獻都是抄在簡牘、布帛之上，在抄錄過程中，不時會出現一些錯誤。為了 **避免錯誤**，古人非常重視抄錄後的校對工作，要逐字逐句地認真比對。

青瓷對書俑展現的就是他們正在校勘書籍的場景。

我們這個職業的歷史可是很悠久的。

早在東漢時，就已經有專職的校書工作人員。當時宮中收藏圖書的地方叫**東觀**，由專人掌管，校書郎就在那裏校勘典籍。

可是校對同一本書稿每輪一個人就夠了，你們為甚麼要兩個人呢？

你們老闆真大方，這可是要多一個人的工資啊！

我們可沒閒着。

我們是各司其職。

坐在書案兩邊的文吏，一個手裏捧着一個小書板，上面放置了一些簡冊之類的東西，他主要負責<u>讀書</u>；

另一個一手拿着筆，手裏捧着一塊類似小木片的東西，正專心致志地邊聽邊把錯誤的字<u>改正</u>過來。

他們不但配合**默契**，而且非常認真和**敬業**。

校對的時候一旦發現錯誤，就要用刮刀將竹簡或者木片上的錯字**刮掉**，再重新刻寫。所以，在兩個人俑中間的小書案上放了不少東西。

不要擔心，山人自有妙計！

自 信

文具控

這些是古人使用的文具吧！

書案的一頭放着一個長方形的硯台，中間有一個四叉的筆架，架上還有兩支毛筆；書桌的另一頭放了一個書箱，箱上還有精緻的提手。

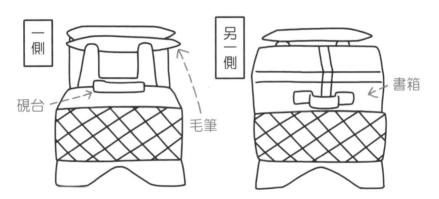

一側

硯台

毛筆

另一側

書箱

這個書箱有點像我們現在的書包。

哎呀，好沉啊！

這裏頭裝的不是竹簡就是木片，當然重啦。

好奇怪啊，為甚麼青瓷對書俑大哥們手裏拿着的會是竹簡和木片呢？造紙術不是早就發明了嗎？

中國古代四大發明之一的**造紙術**是東漢蔡倫發明的。為甚麼幾十年甚至幾百年之後的西晉文官手中拿着的不是紙呢？

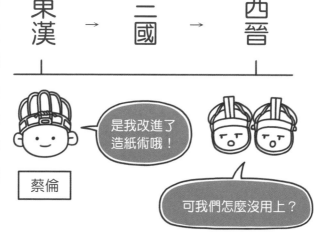

東漢 → 三國 → 西晉

蔡倫

是我改進了造紙術哦！

可我們怎麼沒用上？

還是竹簡、木片用着順手。

也許是當時人們認為紙張不如竹簡或者木片易於**保存**，也有可能是當時紙張的**質量**依舊不夠理想，所以，在當時紙張並沒有得到普及。

兩位大哥，你們穿的衣服、戴的帽子都一模一樣，這是你們的工作制服嗎？

哈哈，可以算吧。

就是穿了一千七百多年了，舊是舊了點。

青瓷對書俑頭上戴的帽子叫**進賢冠**。

身上穿的是**交領長袍**。

　　進賢冠，是文官佩戴的帽子，冠上有一條條的**梁**，可以根據梁的多少來區分等級爵位。公侯的帽子上有<u>三根梁</u>，中二千石以下到博士是<u>兩根梁</u>，博士以下到小史私學弟子是<u>一根梁</u>。

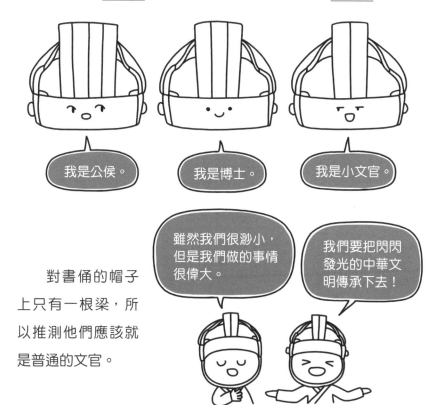

我是公侯。

我是博士。

我是小文官。

雖然我們很渺小，但是我們做的事情很偉大。

我們要把閃閃發光的中華文明傳承下去！

　　對書俑的帽子上只有一根梁，所以推測他們應該就是普通的文官。

話說兩位不但衣服穿得一模一樣，長得也像雙胞胎啊。

一樣的溫文爾雅。

一樣的玉樹臨風。

身材確實差了一點。

有這麼當人面說的嗎！

晉代陶瓷雕塑的藝術風格是簡要、自然、傳神。因為這時期的人俑大多數都是**手工**捏製，並沒有進行細膩的雕刻，臉部常常會千人一面。除此之外，晉代塑造的人物身體各部分的比例往往也不夠精確。

但是，晉代的工匠卻能牢牢抓住人的**心理特徵**，並通過肢體語言表現出來。這種藝術特點其實與當時所提倡的美學思想有關：他們覺得萬物的神韻是最重要的，一旦神韻具備，形象自然就會逼真。

神　韻

小小博士

除了青瓷對書俑，古人校書的情形在其他文物中也有直觀反映。現藏於美國波士頓美術館的宋摹本《北齊校書圖卷》，畫中所記錄的就是北齊天保七年（556年）文宣帝高洋命樊遜等人去勘校五經諸史的故事。畫面有三組人物，居中的是坐在榻上的四位士大夫，他們或展卷沉思，或執筆書寫，或欲離席，或在輓留，神情生動，惟妙惟肖。

▼哈哈劇場▼

之
「不要笑挑戰」

文物日誌

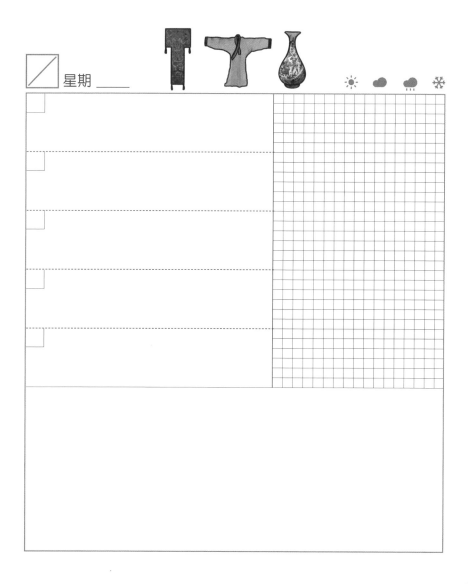

星期 ____

第六站

元青花人物故事

玉壺春瓶

個人檔案

姓　　名：元青花人物故事玉壺春瓶

年　　齡：600多歲

血　　型：瓷型

職　　業：酒瓶

出生日期：元朝

出 生 地：湖南省常德市

現居住地：湖南省博物館

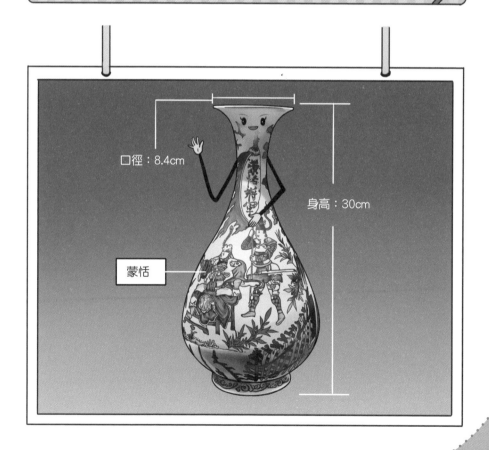

口徑：8.4cm

身高：30cm

蒙恬

8月9日　星期五　　　　　　　　　　　　　　多雲

今天要見的這位姐姐有個很好聽的名字，叫「玉壺春瓶」，聽這名字就覺得是一位特別溫柔美麗的姐姐。看她的照片，我覺得她長得跟《西遊記》裏觀音菩薩手中的玉淨瓶超像，嗯……難道她也是用來插柳枝的嗎？

手感有點奇怪。

春瓶姐姐，可算找到您了。

你好呀，小滿。

咦，您叫「玉壺」，怎麼不是玉做的呢？

我是瓷器，可不是玉器哦。

玉壺春瓶是中國瓷器造型中的一種典型器形，基本造型是由左右兩個對稱的「S」形構成，線條看着特別優美柔和。

註：「秀」來自英文 show 的音譯。

玉壺春瓶的脖子比較細長，中央微微收攏，肚子圓圓的有些下垂，還有圓形的足底。

那您叫「春瓶」？莫非姐姐家裏有春夏秋冬四姐妹？

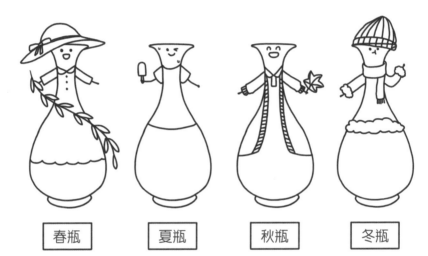

春瓶　　夏瓶　　秋瓶　　冬瓶

不是的，我其實是裝酒的酒瓶。

因為古代糧食酒常常**秋冬**釀造，**春季**釀成，所以人們喜歡把春天新釀成的「酒」稱為「春酒」。久而久之，「春」就代指「酒」，玉壺春瓶其實是個酒瓶。

玉壺春瓶的造型定型於北宋時期,最初她是**實用器——**酒瓶,逐漸演變為**插花器**,後來慢慢地突出她的觀賞功能,成為**陳設器**。

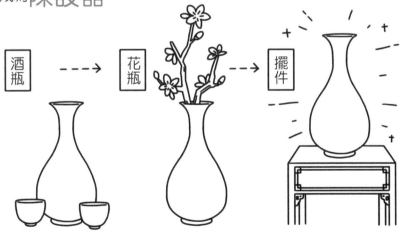

所以我們現在看到的大多數的玉壺春瓶都是拿來作為擺設了。

春瓶姐姐，您身上這些圖案是用藍色的顏料畫上去的嗎？

可沒有那麼簡單。我是青花瓷，元青花瓷可是響當當的珍貴藝術品。

青花瓷又稱白地青花瓷，是中華陶瓷燒製工藝的珍品，也是中國瓷器的主流品種之一。

青花瓷是工匠用含氧化鈷的鈷礦為原料，在陶瓷的坯體上先描繪出各種紋飾，再塗上一層透明釉，放到窰裏，經高溫燒製而成。

鈷料高溫燒製後會呈現藍色，所以我們看到的青花瓷圖案都是明豔的藍色。

繪圖　　塗釉　　燒製　　釉下彩　　完成

青花瓷最早在唐代時已經出現，成熟的青花瓷則出現在元代景德鎮，到了明代，青花成為瓷器的主流。

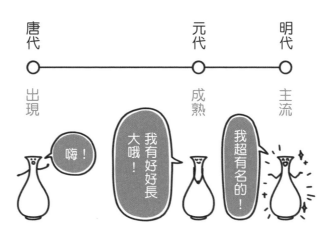

唐代
出現

元代
成熟

明代
主流

嗨！

我有好好長大哦！

我超有名的！

春瓶姐姐，那您身上這位威風凜凜的人物又是誰呀？

這位就是大名鼎鼎的蒙恬大將軍了。

來來，朋友，我們認識一下。

哇！大將軍果然名不虛傳啊！

蒙恬自幼**胸懷大志**，
為秦始皇統一六國立下汗馬功勞，深得嬴政的信任。

秦統一後，蒙恬率 30 萬大軍北擊匈奴，收復失地，還率軍修了萬里**長城**和**秦直道**，打破國內交通閉塞的困頓局面，大大促進了北方各族人民經濟、文化的交流與融合。

我身上一共有 **5** 位人物。

氣場十足

正中間這個頭戴鳳尾**高冠**、身上穿着**甲袍**，英武神氣的將軍正是蒙恬。

蒙恬將軍<u>後面</u>有位武士雙手舉着一面大旗，上面寫着：

蒙恬將軍。

那時流行巨型名片嗎？

可能古人視力都不大好。

蒙恬將軍

這倆小孩說甚麼悄悄話呢？

蒙恬將軍跟前有一位武士，
身穿甲袍、包着頭巾，好像正在
向蒙恬將軍稟報甚麼事情。

給我老實點！

您聽我細細說來……

接下來還有一位武士，他穿
着短短的衣服，束着腰帶，正抓
着一個頭戴高冠、身穿花袍，跪
着的俘虜。

人物之間通過怪石、籬笆、芭蕉、竹葉、花草等隔開，
雖然畫面中內容很多，但是安排得井然有序，繁而不亂。

立正，向左向右看齊。

整整齊齊

好奇怪哦，蒙恬將軍不是秦朝的人嗎？
為甚麼這衣服看着不像秦朝的衣服呢？

小滿，你觀察得真仔細。這些人物的服飾
比如披肩、皮靴，以及旗子等道具都不是
秦朝的風格，而是具有濃濃的元朝風格。

元朝人物故事紋的
青花瓷器存世並不多，
所以顯得格外珍貴。而
器物上的人物故事又大
多取材於元雜劇，
所以服飾上很多都是元
朝的典型裝扮。

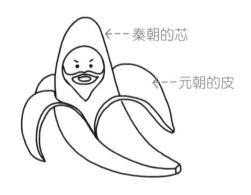

←－－秦朝的芯

←－－元朝的皮

看來我們都是運動愛好者啊！

那面旗子叫火焰紋牙旗，
是典型的元朝風格。武士穿的
戎服是蒙古人穿的一種民族
服飾，叫質孫服。「質孫」是
蒙古語裏「華麗」的音譯。這
種服飾的樣式為緊身窄袖的袍
服，方便騎射這類活動。

蒙恬將軍所穿的是「辮線襖子」，或稱「腰線襖子」。圓領窄袖，下擺特別寬大，還有很多的褶子，腰部縫有寬闊的圍腰，有的還會釘上紐扣。

你這裙子和我的有異曲同工之妙啊。

這個設計師的設計思維很現代嘛。

百褶裙

這種服飾也不是誰都可以穿的，

要**身份較高**的軍官才能穿用。

蒙恬將軍也是個小調皮啊，頭上還插了根長長的羽毛。

你確定「小調皮」這個形容詞用得正確？

大調皮，大調皮！

蒙恬將軍頭上插着的這根長長的羽毛叫**翎子**，翎子也叫雉尾，其實就是<u>野雞尾巴</u>，是中國戲劇表演的一個重要頭飾，是一種極具可舞性的戲劇服飾。

絕技──轉翎子

哇，蒙將軍好帥！

太棒了！

將軍真厲害！

哼，用我的羽毛耍帥！

蒙恬將軍，請賜予我力量！

好人

蒙恬將軍是一個忠誠勇敢的人，他的<u>品德</u>一直以來都被人們稱頌。把他畫在瓷瓶上，大概也是想告訴後人，希望大家也能有高尚的品格，做個好人。在元朝人的眼裏，這大概也是藝術的目的和作用之所在吧。

小小博士

目前存世的元代人物故事紋青花瓷器並不多見，除了這件蒙恬將軍圖玉壺春瓶，還有青花尉遲恭單騎救主圖罐、青花昭君出塞圖蓋罐、青花三顧茅廬大罐、青花西廂記梅瓶、青花蕭何月下追韓信梅瓶等。這些寶貝個個價值不菲，不但造型優美，青花呈色純正豔麗，而且這些人物故事都生動非凡、寓意深刻。

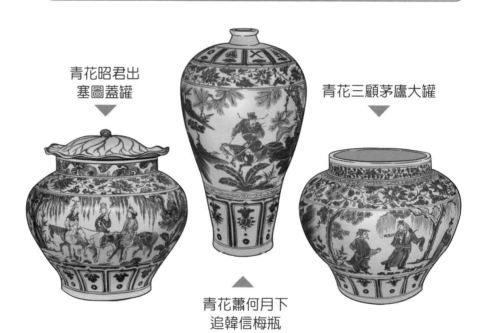

青花昭君出塞圖蓋罐

青花三顧茅廬大罐

青花蕭何月下追韓信梅瓶

哈哈劇場

之「加餐」

文物日誌

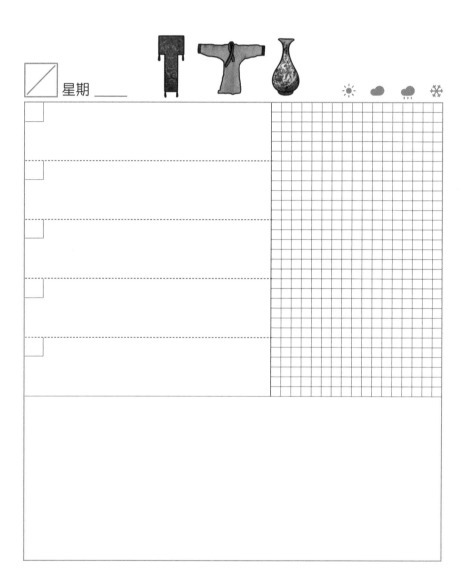

星期 ＿＿＿＿

博物館
通關小列車

博物館通關小列車歡迎你來挑戰！

選一選

你們準備好了嗎？
快來和我一起開啟
知識之旅吧！

前進

1 哪些是屬於天國部分的圖案呢？

○ 烏鴉、太陽、月亮、兔子、后羿

○ 兔子、獅子、烏鴉、太陽、嫦娥

○ 燭龍神、鐸、豹子、扶桑樹、烏鴉

○ 仙草藥、蟾蜍、月亮、扶桑樹、鯉魚

2 你們還記得我頭上戴的帽子叫甚麼名字嗎？

○ 青賢冠　　○ 青雲冠

○ 進賢冠　　○ 進雲冠

3 我身後的這面大旗叫甚麼名字？

○ 祥雲火焰旗　　○ 火焰祥雲旗

○ 祥雲紋牙旗　　○ 火焰紋牙旗

4　我在地下長眠時住的四間房子，按從外至內的順序你們還記得嗎？

○ 黑漆素棺——朱地彩繪棺——黑地彩繪棺——錦飾內棺

○ 黑地彩繪棺——黑漆素棺——錦飾內棺——朱地彩繪棺

○ 黑地彩繪棺——黑漆素棺——朱地彩繪棺——錦飾內棺

○ 黑漆素棺——黑地彩繪棺——朱地彩繪棺——錦飾內棺

辛追

歡迎進入第二車廂！試試看，有沒有難倒你。

連一連

《山海經》裏為後人留下了大量有關亦人亦神亦獸的祖先或者英雄的形象描述，試着連一連吧。

女媧　　東王公　　雷神　　西王母　　燭龍神

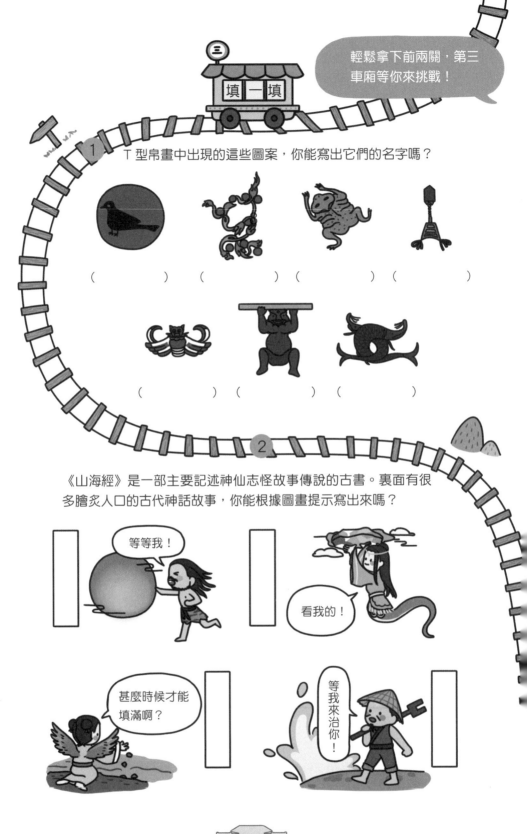

三 填一填

1 Ｔ型帛畫中出現的這些圖案，你能寫出它們的名字嗎？

(　　　　　)　(　　　　　)　(　　　　　)　(　　　　　)

(　　　　　)　(　　　　　)　(　　　　　)

2

《山海經》是一部主要記述神仙志怪故事傳說的古書。裏面有很多膾炙人口的古代神話故事，你能根據圖畫提示寫出來嗎？

等等我！

看我的！

甚麼時候才能填滿啊？

等我來治你！

進入了高難度的第四車廂，相信你一定行！

這些圖表達的都是甚麼意思呢？
仔細看一看，在空格中填上正確的詞吧！

1

眼 □ □ □
耳 □ □ □

2

□ □ 奔 □

3

□ □ □ 人

4

力 □ □ □

和好朋友一起玩一會遊戲吧！

小朋友，請準備一個小骰子，來玩我們的博物館歷險棋吧！

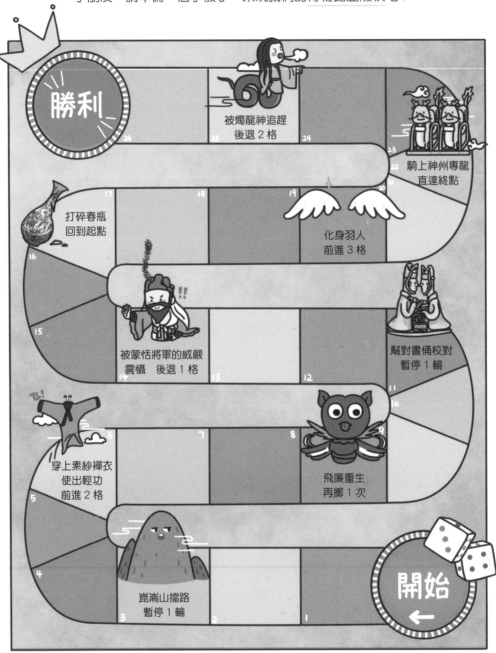

我是答案

我是答案

一 選一選

1. 燭龍神、鐸、豹子、扶桑樹、烏鴉

2. 進賢冠　　　3. 火焰紋牙旗

4. 黑漆素棺——黑地彩繪棺——

　　朱地彩繪棺——錦飾內棺

二 連一連

1.

三 填一填

1. 金烏　　扶桑樹　　蟾蜍　　鐸

　　飛廉　　地神　　鯨鯢

2. 夸父逐日　　　女媧補天

　　精衛填海　　　大禹治水

四 想一想

1. 眼觀六路　　耳聽八方
2. 嫦娥奔月
3. 同道中人　　4. 力大如牛

　　親愛的小朋友，感謝你和博物館通關小列車一起經歷了一段美好的知識旅程。這些好玩又有趣的知識，你都掌握了嗎？快去考考爸爸媽媽和你身邊的朋友吧！

◆ 答對 8 題以上：真棒，你是博物館小能手了！

◆ 答對 12 題以上：好厲害，「博物館小達人」的稱號送給你！

◆ 答對 15 題以上：太能幹了，不愧為博物館小專家！

◆ 全部答對：哇，你真是天才啊，中國考古界的明日之星！

博物館
參觀注意事項

博物館參觀注意事項

作者　杜瑩

● 有着無限童心與愛心的「大兒童」

● 正兒八經學歷史出身的插畫師

● 在寧波工程學院主講藝術史的高校教師

● 夢想做個把中華傳統文化講得生動有趣的「孩子王」